SOPA DE LIBROS

© Del texto: Vicente Muñoz Puelles, 2019
© De las ilustraciones: Noemí Villamuza, 2019
© De esta edición: Grupo Anaya, S. A., 2019
Juan Ignacio Luca de Tena, 15. 28027 Madrid
www.anayainfantilyjuvenil.com
e-mail: anayainfantilyjuvenil@anaya.es

1.ª edición, marzo 2019

Diseño: Manuel Estrada

ISBN: 978-84-698-4827-2
Depósito legal: M-40-2019

Impreso en España - Printed in Spain

PAPEL DE FIBRA
CERTIFICADO

Las normas ortográficas seguidas son las establecidas por la Real Academia
Española en la *Ortografía de la lengua española,* publicada en 2010.

Ricardo y el gato con motas

SOPA DE LIBROS

Vicente Muñoz Puelles

Ricardo y el gato con motas

Ilustraciones
de Noemí Villamuza

Para Olga, Laura y Ricardo.
Y también, ¿por qué no?,
para el gato Motas.

Motas era un gato blanco con cuatro grandes motas negras, todas en el lomo. Cuando se acostaba panza arriba, parecía completamente blanco, y solo se le veían las motas cuando se tumbaba sobre el vientre o se le miraba desde lo alto.

Ricardo lo había encontrado en la calle, una tarde de lluvia. Tenía un maullido propio, como si llamara a mamá.

—¡Maa, maa, maaa!

En casa, Motas jugaba a atrapar cosas o se pasaba el tiempo durmiendo. De noche, cuando estaban sentados, se subía a la parte trasera de los sofás y les lamía el cabello, como si estuviera aseando a otro gato, hasta hacerles cosquillas.

—Quiero mucho a Motas —dijo Ricardo—, y lo paso bien cuando juego con él y lo cepillo. Pero ¿no os parece que duerme mucho? A veces resulta un poco aburrido.

—Quizá también él se aburre —comentó papá.

—Me gustaría tener otros animales —murmuró Ricardo, soñador.

—¿Aquí, en un piso?
—preguntó mamá—. Ya sabes
que no hay sitio. Sería distinto
si viviéramos en el campo.
Entonces sí podrías tenerlos.

Era la ilusión de mamá:
mudarse lejos de los ruidos de
la calle y del ajetreo de los coches.

Ricardo les había oído hablar
con tanta frecuencia de cambiar
de casa que no se extrañó cuando,
por fin, ocurrió. Unos amigos de
sus padres se iban a otro país y
les ofrecieron quedarse con su
casa, en el campo.

Papá y mamá decidieron
aceptar. Nunca se entiende bien
por qué los mayores hacen

las cosas, pero alguna razón debe
de haber.

La nueva casa era un edificio de
dos alturas, con chimenea y
un tejado de tejas rojas. Había
un jardín alrededor, con árboles
frutales, un algarrobo de largas
ramas y una piscina pequeña,
pero muy profunda.

En la calle había otras casas, que solo estaban ocupadas durante el verano.

En el cuarto de Ricardo, que estaba en el piso de arriba, había una cesta y una alfombra para Motas.

Al principio, el gato tardó en salir al jardín. Acostumbrado a la ciudad, todo lo desconocido le asustaba. Pasaba el tiempo escondido bajo los muebles y solo se dejaba ver a la hora del desayuno y a la de la cena.

Mamá y papá nunca habían tenido un jardín y disfrutaban cuidando las plantas y cambiándolas de lugar.

Ricardo iba con ellos y les ayudaba. Lo que más le divertía era regar con la manguera y ver cómo las plantas, al mojarse, cambiaban de brillo y de color.

Al acercarse el chorro de agua, los saltamontes levantaban el vuelo, y las libélulas, las abejas y las mariposas cambiaban de matorral o de árbol.

Cada día aprendía algo nuevo, que siempre le parecía muy importante. Vio cómo los pájaros construían sus nidos en el tejado, y se fijó en que las avispas alfareras recogían agua de la piscina, se colaban por las ventanas y hacían sus nidos de barro en el interior de la casa, en lo alto de las paredes o de los armarios.

Fue a mamá a quien se le ocurrió la idea de comprar una gallina. Quería tener huevos frescos y pensaba que le ayudaría a cuidar el jardín, comiéndose los caracoles y las malas hierbas.

Ricardo también sentía admiración por los caracoles, pero prefería a las gallinas.

Fue con mamá a una tienda de animales de granja y se enamoró al ver una gallina grande, de plumas blancas y negras, que tenía la cresta de un color rojo vivo. Caminaba muy erguida entre las otras y llevaba una anilla en una pata.

—Esta es de concurso —dijo
el vendedor.

A mamá también era la que
más le gustaba.

—Les irá mejor si se llevan dos
—les explicó el vendedor—.
Cuando están juntas, ponen más
huevos. Hay gente que coloca
espejos en el gallinero, para que
se sientan acompañadas.

—Pero eso sería como
engañarlas, ¿no te parece? —le
preguntó mamá a Ricardo, y
escogieron a otra para que hiciese
compañía a la primera.

Ya se llevaban las gallinas
cuando Ricardo se fijó en
unos polluelos de pato, cubiertos
de un plumón amarillo, blanco y

negro. Al instante, se quedó quieto, como si no pudiera moverse, y uno de los polluelos hizo lo mismo.

Era como si cada uno hubiese reconocido al otro.

—Se llaman patos mudos —dijo el vendedor—, porque no graznan.

Mamá preguntó si se entendían bien con las gallinas.

—Muy bien —contestó el vendedor—. Si se llevan alguno, verán que lo cuidan como si fueran sus madres.

Le hicieron caso y se quedaron con las dos gallinas y con el polluelo de pato mudo, que se durmió en el hueco que formaban las manos de Ricardo durante el viaje a casa.

En un rincón del jardín había
un corral con su caseta y
una alambrada alrededor.

Ricardo tenía miedo de dejar
al polluelo de pato con
las gallinas, que a su lado
parecían gigantes, pero pronto
vio que procuraban no pisarlo y
que hasta se apartaban para
dejarle comer.

Al anochecer, los tres se metieron en la caseta.

Ya de noche, Ricardo miró hacia el interior con una linterna y vio a las dos gallinas muy juntas, y al polluelo durmiendo entre ellas.

Mamá y papá se acercaron a mirar también y dijeron que era el mejor colchón de plumas que habían visto.

—Habrá que ponerles nombres —sugirió mamá.

—¿Por qué? —preguntó Ricardo—. No todos los animales tienen nombre.

—No, pero sí los que acuden cuando los llamas. Y las gallinas acuden. Además, hay que ponerles un nombre para distinguirlas entre sí.

—Yo las distingo —dijo Ricardo—. Una es más grande que la otra y lleva una anilla.

Pero mamá no le escuchó:

—A la grande le pondremos Ana y a la otra Hanna. El pato se llamará Donald, como el de los dibujos animados de mi infancia.

Y se quedaron con esos nombres, al menos durante un tiempo.

Un día, Motas se atrevió por fin a salir de la casa. Al principio, se quedaba en el jardín y jugaba con Ricardo en la hierba, pero

luego aprendió a saltar por
la puerta enrejada y a explorar
la calle.

Empezó a pasar fuera casi todo
el día. Ya de noche, entraba por
una gatera y se anunciaba:

—¡Maa, maa, maaa!

Con frecuencia les llevaba
pequeños animales y los dejaba
a la entrada del salón o de
la cocina: un pájaro, un ratón o
una salamanquesa, ese reptil de
cuerpo aplastado que sube por
las paredes.

Casi siempre, la presa estaba
herida y moría. A veces, en
cambio, Motas la soltaba dentro
de casa. Las salamanquesas,
por ejemplo, se desprendían

de la cola y echaban a correr
bajo los muebles.

Cada miembro de la familia
manifestaba su disgusto a su
modo. Papá le enseñaba los dientes
a Motas para asustarlo, mamá lo
castigaba a quedarse sin cena y
Ricardo fruncía el ceño y le reñía,
con aire muy serio:

—Debería darte vergüenza.
¿No comes bastante en casa?
¿Por qué tienes que matar a otros
animales?

No se le ocurría que, en
el fondo, Motas solo pretendía
hacerles un regalo, y que para
él solo era un juego.

Alguna vez conseguían salvar
un pájaro. Mamá le curaba

las heridas, le daba calor y
lo alimentaba con una pasta
de harina y huevo. Tan pronto
se reponía, lo soltaban.

Los ratones que Motas les
llevaba se hacían los muertos.
Y, en cuanto el gato se distraía,
desaparecían en el escondite más
próximo.

No querían emplear ratoneras
ni hacer daño a los ratones que
a Motas se le escapaban, pero
tampoco querían tenerlos en
casa. Por eso, entre los tres,
inventaron una manera de
capturarlos.

A mamá se le ocurrió utilizar
una papelera de paredes lisas.
Colocó una regla en equilibrio

en el borde y un poco de queso en el extremo que apuntaba al centro.

A papá se le ocurrió apilar unos libros junto a la papelera, para que el ratón pudiera subir por ellos y alcanzar la regla.

A Ricardo… No consigo recordar qué se le ocurrió a Ricardo.

El caso es que el ratón subía por la escalera de libros, atraído por el olor del queso. En cuanto empezaba a avanzar hacia este, la regla cedía y el ratón quedaba atrapado, sin posibilidad de trepar.

Entonces, llevaban la papelera a un bosquecillo, lejos de la casa, y soltaban al ratón.

A veces, cuando veían un ratón por la casa, se preguntaban si ya habría pasado por la aventura de la papelera y Motas lo habría vuelto a capturar, o se trataba de un ratón distinto.

Al menos, el gato no intentaba atrapar a Donald. Este perdió pronto el plumón amarillo y se convirtió en un pato joven, blanco con algunas plumas negras y una especie de antifaz rojo en torno a los ojos.

Cada mañana, temprano, cuando Ricardo abría la puerta del corral, Ana, Hanna y Donald ya estaban esperando. Se dirigían al jardín con el pato en medio, como si desfilaran. Ellas iban más

decididas, con el cuello erguido,
y él con su andar oscilante,
balanceando la parte trasera.

Las gallinas no lo perdían
de vista en todo el día.

A veces, no se conformaban
con picotear la hierba y
arrasaban los macizos de plantas
rastreras.

—¡Ya se han comido otra vez
la planta del dinero! —exclamaba
mamá, que apreciaba mucho esa
planta, de hojas dentadas y
carnosas.

Papá estaba muy orgulloso de
haber conseguido que en el jardín
creciese otra planta, de flores
púrpuras y hojas en forma de
dedo, que no era del lugar.
Sin ningún miramiento, las aves
de corral se la comieron.

—Al menos —le consolaba
mamá—, nos dejan los huevos
a cambio.

Pero los huevos había que
encontrarlos, porque las gallinas
parecían disfrutar poniéndolos
cada vez en un sitio distinto,
casi siempre escondido.

Un día, entre los huevos
morenos de las gallinas empezaron
a aparecer unos huevos blancos,
más alargados y puntiagudos.

Se preguntaban quién los
pondría cuando Ricardo encontró
al pato acuclillado, ante la atenta
vigilancia de las gallinas. Aguardó
un rato y lo vio retirarse, dejando
un huevo blanco.

Fue corriendo a casa.

—¡Mamá, papá! ¡Donald no es un pato, sino una pata!

—Entonces —dijo mamá entre risas—, tendremos que llamarla Daisy, como la novia de Donald en los dibujos animados.

Una noche, Motas anunció su llegada:

—¡Maa, maa, maaa!

—¿Qué traerá esta vez? —preguntó Ricardo, y se levantó del sofá para verlo.

Pero el gato ya había dejado caer una figurilla de plástico a sus pies.

—¡Es un dinosaurio de color rojo! —exclamó Ricardo, que siempre había sentido fascinación por los dinosaurios.

—Muy bien, Motas, muy bien —dijo mamá, al tiempo que le acariciaba el lomo moteado.

Fueron a la cocina y le dieron una golosina para gatos.

—Siempre que nos traiga un objeto de regalo en vez de un animal —propuso mamá—, tendrá premio.

—¿Puedo quedármelo? —preguntó Ricardo, refiriéndose al dinosaurio.

Era un diplodocus, uno de sus dinosaurios favoritos.

—Puedes, mientras no sepamos de quién es... —aventuró mamá.

—Es verdad —dijo papá—. Quién sabe dónde lo ha encontrado Motas.

—Pero, si vas a quedártelo
—le aconsejó mamá—, lávalo
bien con agua y jabón. No parece
muy limpio.

Fue el primero de muchos
obsequios parecidos.

Quizá porque se había cansado
de cazar animales, Motas empezó
a regalarles objetos de todo tipo.

Podía ser un calcetín, un lápiz,
un abanico, un naipe, una pelota
deshinchada, un gorro,
unas gafas de natación de niño
o pequeños anuncios impresos
de vivos colores.

Tanta variedad hacía pensar
que procedían de diferentes
sitios.

A veces no llegaba a dejarlos dentro de casa. Se cansaba, o se distraía, y los abandonaba a la entrada o en el jardín, de modo que los encontraban al día siguiente.

O bien llegaba con su regalo, cuando ya todos se habían acostado, y le oían reclamar su premio:

—¡Maa, maa, maaa!

Algunas noches no se presentaba, y temían que los dueños de los objetos le hubieran sorprendido y lo tuviesen encerrado.

—Eso es que está buscando un regalo que nos guste —decía papá, quitando importancia a la ausencia de Motas—. Pensad en lo difícil que debe ser encontrar algo diferente cada noche.

Pero no siempre eran objetos diferentes. Motas parecía tener cierta facilidad, por ejemplo, para conseguir gafas de natación de niño, y a veces llegaba a casa con la pareja de un calcetín que les había llevado semanas antes.

Guardaban los objetos más interesantes en una cesta, a la que llamaban «la cesta del botín».

Daisy ya era un pato grande, o mejor una pata blanca salpicada de manchas negras. El antifaz se había convertido en una especie de máscara roja alrededor de los ojos y sobre una parte del pico que le daba un aire gracioso.

Como la máscara era del mismo color rojo que la cresta de las gallinas, y las gallinas también eran blancas y negras, parecía como si las tres aves de corral fuesen de la misma familia.

Solo al verlas moverse juntas, y comparar el contoneo de la pata con el paso firme de las gallinas, se comprendía que eran, como mamá decía, «de una tribu distinta».

A Ricardo le gustaban más los huevos de la pata, que le parecían más sabrosos, pero papá y mamá preferían los de las gallinas.

Una mañana en la que hacía mucho calor, y mientras Ricardo y mamá estaban en la piscina, Daisy no pudo contenerse. Echó a correr tan rápido como pudo y se dejó caer en el agua. Luego, al ver que se les había acercado mucho, dio un golpe con la cola, frenó y se desvió. Era, claro, la primera vez que nadaba.

Mamá y Ricardo se echaron a reír y dejaron que disfrutara,

pero luego se dieron cuenta de
que ensuciaba el agua.

Salieron corriendo y haciendo
aspavientos, y Daisy estuvo
nadando hasta que se cansó.
Luego acabó saliendo también.

A los pocos días, Ricardo
se fijó en que Motas había
engordado un poco, y lo levantó
del suelo.

—Parece como si pesara más,
¿no? —preguntó.

—Siempre ha sido un gato
bastante tragón —dijo mamá.

—Y misterioso —comentó
papá, que se estaba vistiendo—.
¿Qué hará todo el día fuera,
además de buscar regalos?

—Lo que sé es lo que hace
de noche —explicó Ricardo—.
Primero duerme en mi cama.
Cuando hace demasiado calor,
pasa a la cesta, a la alfombra o al
suelo y sigue durmiendo. Si hay
un cajón de ropa abierto, se mete
en él y lo revuelve. ¡Ah, y a veces
ronca un poco!

—Ya te he dicho que, si no
quieres que se acueste en tus
cajones, has de dejarlos cerrados
—le recordó mamá.

—No encuentro una corbata
—intervino papá—. ¿Alguien
sabe algo?

—¡Pero si nunca llevas corbata!
—dijo mamá.

—Da igual. Hoy quería llevarla.

Siguió buscándola, pero no apareció.

Como la pata seguía bañándose y ensuciando la piscina, pusieron unas macetas grandes y una mampara alrededor, para
que le costara llegar al agua.

Daisy se acercaba muy decidida, pero al llegar ante las macetas se paraba. Y las gallinas siempre rondaban por allí, cacareando y vigilándola.

Descontenta, la pata empezó a poner menos huevos o a dejarlos en lugares poco visibles.

Una mañana echó a correr como si fuese a volar. Pero, en vez de lanzarse a la piscina,

siguió aleteando y sobrevoló
el jardín y el muro.

—¡Daisy, Daisy! —gritaron.

Salieron de la piscina y
abrieron la puerta de la calle.

Ya no había señal alguna de
la pata, aunque la buscaron en
todas direcciones.

—¡Cocococoó! ¡Cocococoó!
—seguían llamándola las gallinas.

Al final, mamá y Ricardo se
cansaron y entraron en casa.

—No te preocupes —dijo ella—.
Volverá por la noche, como hace
Motas.

Pero no volvió, pese a que
dieron largos paseos en su busca
y a que imprimieron carteles y

los pusieron en los postes de luz
de la calle.

En los carteles se veía una foto
de Daisy en el jardín y se leía:
«SE BUSCA PATA MUDA».
A continuación, figuraban
el teléfono y la dirección.

Las gallinas, más inquietas
aún que de costumbre, iban de
un lado a otro como si estuvieran
buscándola.

Llevaban más de diez días
sin tener noticias de Daisy,
pero seguían echándola mucho
de menos, cuando una mujer
telefoneó a casa, para contarles
que tenían una pata en la piscina,
y que parecía ser la que ellos
buscaban.

Vivía en la misma calle, en una casa con una palmera. Entre esa casa y la de ellos solo había una parcela deshabitada. Mamá y Ricardo fueron a comprobarlo.

Era una familia con muchos niños. Había colchonetas y otros juguetes de goma, desperdigados

por el jardín y el suelo de
la piscina.

Los niños hacían bastante
ruido, pero al ver a los visitantes
se calmaron un poco.

Daisy estaba en la piscina.
No quería salir, y tuvieron que
entrar en el agua para cogerla.

Pero, en cuanto se acomodó en los brazos de Ricardo, se quedó tranquila.

Ya se la llevaban cuando una niña de su misma edad, que había estado aguantándose las lágrimas, se echó a gimotear.

—¡Quiero quedarme con mi pato, es mi pato! —decía en voz baja.

A Ricardo le hubiera gustado dejarle a Daisy, pero había estado buscándola y tenía muy claro que era suya. Fue mamá quien habló:

—Ahora nos la llevamos —le explicó a la niña—, porque hay unas gallinas que también son sus amigas y quieren estar con ella.

Pero, siempre que quieras verla,
ven a casa y allí la tendrás.
   La niña la miró fijamente
y se tranquilizó.

En cuanto volvieron a casa, la soltaron en el jardín. Las gallinas la esperaban. Fueron a su encuentro, muy enfadadas, y se pusieron a cacarear y a darle empujones.

Daisy se limitó a agachar la cabeza y a contonearse, rumbo al corral.

Al día siguiente, y para que no volviera a escaparse, la llevaron a la veterinaria, que le cortó un pedazo de ala.

—¿No ha de cortarle las dos? —preguntó Ricardo.

—No —le explicó la veterinaria—. Basta con una sola. Enseguida pierde la confianza y deja de volar.

El tiempo había cambiado,
y el agua de la piscina empezaba
a estar un poco fría.

—¿Sabes dónde está
el termómetro de la sirenita? —le
preguntó mamá a Ricardo, con
un pie en el agua—. Me gustaría
saber la temperatura.

Era un termómetro de plástico
que, por un lado, tenía la escala
y, por el otro, la forma de una
sirenita, de trenzas rubias y larga
cola verde. Solía estar flotando
en la piscina, pero a veces se
quedaba fuera, en el jardín.

—No lo he visto —dijo Ricardo.

Pero, mientras contestaba,
se acordó de los niños de la casa
de la palmera y de sus juguetes.

Con los ojos de la memoria,
volvió a ver unas figurillas
de dinosaurios y unas gafas de
natación de niño, como las que
Motas les llevaba de vez en cuando.

¿No había entre esos juguetes
también una sirenita, como
la que ellos tenían en casa?

Si no se había fijado más, era precisamente porque en aquel momento solo pensaba en recuperar a Daisy.

Varias veces estuvo a punto de decírselo a mamá o a papá, pero al final no se atrevió. No quería que le dijeran que se inventaba cosas.

A la mañana siguiente, cuando Ricardo despertó, Motas aún estaba allí, en su cuarto.

Era imposible salir sin que el gato se diera cuenta, porque siempre dormía con un ojo medio abierto.

Pero Ricardo tenía un plan. Le puso algo de comida para distraerlo y se fue directamente al jardín.

Dejó una de sus propias figurillas, un pequeño oso de tela marrón llamado Mischa, en el camino por donde debía pasar Motas.

Después subió a una de las ramas más altas del algarrobo, como había hecho otras veces, y se quedó quieto.

No tuvo que esperar. Al momento, el gato con motas salió de la casa, miró al pequeño Mischa con curiosidad, lo empujó con una pata, para comprobar si se movía, y lo cogió con la boca.

Con cuidado, como si no quisiera ser visto, subió al muro del jardín y desapareció en la parcela de al lado.

Por un instante, Ricardo dejó
de verlo. Más tarde, el gato
volvió a aparecer en la parte
superior del muro, ya en la casa
de la palmera.

Esperó a que mamá se
levantara y se lo contó.

¡Motas tenía dos casas,
y dejaba regalos en las dos!

Al principio, mamá no podía creerlo.

—¿Te acuerdas de la corbata de papá y de la sirenita de la piscina? —le preguntó Ricardo.

Mamá se acordó de esas cosas y también de muchas otras sin importancia que, alguna vez, había echado en falta:

unos cordones de zapatos,
un servilletero de madera,
un posavasos de cartón…

A media mañana, mamá llamó
a los vecinos de la casa de
la palmera para preguntarles
si podían pasar a verles.

Ricardo llevaba la cesta con
el botín de Motas.

—¡Si es mi diplodocus! —dijo
un niño, nada más ver el
dinosaurio de goma.

—¡Anda, si son mis gafas de
buceo! —exclamó la niña que
había querido quedarse con Daisy.

Mamá contó que habían ido
recibiendo aquellas cosas poco
a poco y que se las llevaba su gato.

—¡Y ahí está la sirenita! —dijo Ricardo, señalando el termómetro que flotaba en la piscina.

—Nos la ha traído nuestro gato, que tiene la costumbre de regalarnos cosas —explicó la mamá de los niños.

—¿Es un gato con motas? —preguntó mamá.

—Sí. Lo habrán visto por ahí. Se llama Dominó —contestó la mamá de los niños.

—¡Se llama Motas! ¡Es nuestro Motas! —protestó Ricardo, enfurruñado.

La mamá de los niños les invitó a pasar al salón, donde el gato con motas estaba durmiendo plácidamente, acostado sobre unos cojines.

—Ya veis que es el nuestro —les dijo.

Pero mamá llevaba la cartilla sanitaria de Motas.

Y en su móvil había fotos del gato tomadas en casa, y hasta aparecía el termómetro de la sirenita, flotando junto a Daisy, el primer día en que la pata se había bañado.

Al final, la madre de los niños tuvo que admitir que el gato que ellos llamaban Dominó les había llegado una noche de lluvia, y que solo llevaba con ellos unos meses.

Pero no quería resignarse.

—Ahora también es nuestro
—dijo.

Mientras hablaban, Motas
abrió los ojos y les miró a todos
con aire de incomodidad, como
si en la habitación hubiera
demasiada gente. Saltó al suelo,
salió al jardín, subió al muro
y se fue.

—Creo que Motas ha elegido
—dijo mamá.

—Aquí Dominó siempre tendrá
su casa —insistió la mamá de
los niños.

Pero, como les convenía
llevarse bien, acabaron haciendo
las paces y hasta les devolvieron
la corbata de papá, y también
a Mischa y a la sirenita.

Cuando regresaron a casa,
el gato con motas descansaba
sobre una silla de la cocina.

Mamá y Ricardo le contaron
a papá que Motas pasaba el día
fuera y solo volvía por la noche,
cuando se quedaba a dormir.

—Pero eso ya lo sabíamos
—dijo papá.

—Ya —contestó mamá—, pero
es que también vive en casa de
los vecinos, y les hace regalos,
como a nosotros. Y son cosas
nuestras.

—¿Queréis decir que a ellos les
lleva nuestras cosas y a nosotros
nos trae las suyas, y que se queda
a dormir y a comer en las dos
casas?

—Exactamente.

Papá se echó a reír.

—Creo que no deberíamos preocuparnos por Motas —dijo, mirando la corbata recuperada—. Tiene dos familias y quiere estar bien con ambas. No importa si cada día pasa unas horas en otro lugar. Además, Ricardo, tú tienes a las gallinas, a la pata muda y a los pájaros y demás animales del jardín. No vas a aburrirte.

«¿Cómo voy a aburrirme —se preguntó Ricardo—, si en el campo no paran de suceder cosas y hasta los gatos tienen dos nombres y llevan una doble vida?».

Escribieron y dibujaron...

Vicente
Muñoz Puelles

—*Vicente Muñoz Puelles (Valencia, 1948) está recuperando a algunos de los protagonistas de relatos pasados para que vivan nuevas aventuras. En esta ocasión, hemos vuelto a saber de Ricardo (Ricardo y el dinosaurio rojo, 2003). ¿Ha cambiado mucho el niño en estos años? ¿Y el autor?*

—Aunque en teoría tiene la misma edad que en su primer libro, creo que Ricardo se ha vuelto más reflexivo y realista. Conserva su pasión por los dinosaurios, pero la ha transferido a otros animales, a los que puede acariciar y cuidar. Pasa mucho tiempo pensando en cómo son. A veces, cuando se les acerca y se queda quieto mirándolos, sé que está poniéndose en su lugar, transformándose en pato, en rana o en escarabajo, intentando sentir lo que ellos sienten. En cuanto a mí, que soy su padre, sigo observándolo y preguntándome cómo es de verdad, para poder escribir más historias sobre él.

—*Sus personajes tienen una relación especial con los animales en general, y con los gatos en particular, que han llegado a protagonizar algunos de sus relatos. ¿En su vida también existe este vínculo con los felinos?*

—Desde niño me ha gustado caminar sin hacer ruido. Es algo que a veces provoca algún susto en casa, porque es como si, de pronto, apareciera en medio de una habitación, sin que me hayan visto entrar. No lo hago para asustarles, claro, sino porque es mi manera de moverme. Esa es la principal cualidad que admiro en los gatos: su andar sigiloso. También me gusta ver cómo disfrutan de la vida, cómo giran sobre sí mismos en la hierba y se estiran al sol. Pienso en todos los gatos que han pasado por nuestras vidas, y en lo mucho que nos han dado. Cuando escribo para ellos, siento un poco como si intentara devolverles el favor. Echo de menos a Julieta, que aparece en *Laura y el ratón* y en *La gata que aprendió a escribir*. Y quiero mucho a Motas, que sigue trayéndonos regalos. En cuanto a los felinos en general, admiro sobre todo a los leopardos de las nieves y a los tigres.

Noemí Villamuza

—*Noemí Villamuza (Palencia, 1971), que ilustró la primera aventura de Ricardo en 2003, vuelve a colaborar con el autor, Vicente Muñoz Puelles, en este nuevo proyecto. Ricardo tiene un gato, una pata, gallinas… ¿En casa tenía animales de compañía?*

—En casa tuvimos una perra pastor belga maravillosa cuando éramos pequeñas. Se llamaba Lua. Fue un gran aprendizaje aquel animal, ser conscientes del trabajo que dan los paseos diarios, el veterinario, los cuidados… Recuerdo el placer de las caminatas por el monte con ella, sus carreras eufóricas yendo y viniendo feliz entre la maleza. También recuerdo las grandes manadas de ovejas en el pueblo de mi padre; era un espectáculo verlas pasar delante de la casa veraniega, sobre todo para los niños de ciudad como yo.

—*¿Y ahora? ¿Cómo es su relación con ellos?*

—Ahora no tengo animales en casa…, pero durante ocho años viví con un enorme y manso gato rubio llamado Pepe. Aprendí mucho de los pequeños felinos, porque en mi infancia nunca hubo gatos cerca. Siempre me dieron gran respeto. Mi relación actual con los animales está en el campo, cuando salgo de la urbe. Amigos que viven con sus perros en una masía en mitad de un bosque, o animales de granja que visitamos en excursiones rurales.

—*¿Cómo preparó las ilustraciones de este libro?*

—Este libro lo he preparado en varios tiempos: lo leí un verano, comencé a pensar la imagen de cubierta a comienzos de otoño y lo terminé cuando casi el otoño se hacía invierno lluvioso. Lo he contado en voz alta varias noches a mis hijos. Eso me ha inspirado imágenes simpáticas de sus capítulos y también puntos de vista diferentes de los que habitualmente utilizo. Ha sido muy cálida la compañía de Ricardo y sus vivencias fuera de la ciudad. Creo que me gustaría hacer lo mismo ¡y marchar a vivir al campo!